afgeschreven

het ALLESBOEK over VLIEGTUIGEN

het ALLESBOEK over VLIEGTUIGEN

Tekst

Martijn Min

Tekeningen

Ton de Bree

KLUITMAN

Nur 210/LP020701
© Uitgeverij Kluitman Alkmaar B.V.
Omslagontwerp: Sieger Zuidersma en Design Team Kluitman

www.kluitman.nl

INHOUD

Hallo, toekomstige piloten en passagiers!

Hoor je dat zachte gebrom in de verte? Het komt van boven, ergens achter het huis. Is het soms een vliegtuig? Of een helikopter? Speur jij ook meteen de hemel af, als je zoiets hoort?

Daar! Hoog boven in de lucht zie je een vliegtuig. Een piepklein stipje met witte strepen aan zijn staart. Blijf je dan ook altijd even stilstaan? En vraag je je af: waar gaat hij naartoe? Hoe zou het daarboven zijn?

Een vliegtuig...?

Een vogel...?

Een raket...?

Een...uhh...?

Wil jij weten hoe het is om te vliegen als een vogel? Door de lucht zweven is het mooiste dat er is! Nou ja, en het lezen van dit boek natuurlijk. Alles over luchtvaart staat erin.

Dit Allesboek gaat over mensen die super graag wilden vliegen. Ze sprongen van het dak met vleugels. En ze vonden ook het vliegtuig uit. Je leest over de eerste, de grootste en de snelste vliegtuigen. Maar ook over onzichtbare straaljagers en piloten met astronauten-pakken. Over heteluchtballonnen en stoere helikopters. En over hoe je piloot kunt worden. Lees dus maar vliegensvlug verder!

Wat is luchtvaart?

Heb jij vleugels?

O, kon jij maar vliegen! Lekker tussen de wolken zweven.
Naar de vogels zwaaien en om de kerktoren draaien.
Maar dat kun je niet. En als dat wel zo was, zou je wel
heel bijzonder zijn. Want wie kan er nou vliegen?
Mensen hebben toch helemaal geen vleugels? Daarom
vliegen ze met voertuigen.

Lucht-vaart

Als je met een voertuig vliegt, heet dat luchtvaart. Kijk
maar eens naar het woord: lucht-vaart. Je vaart dus door
de lucht. En alles wat door de lucht vaart, is luchtvaart.
Snap je? Zo heb je ook scheepvaart en ruimtevaart.
Alles waar je in kunt vliegen, telt mee. Een vliegtuig met
passagiers en een straaljager. Een helikopter en een
luchtballon. En als jij met iets anders kunt vliegen, telt dat
ook. Al vlieg je rond op een kanonskogel! Net als de
baron Von Münchhausen.

RAAR maar waar

De baron Von Münchhausen was een Duits edelman. Hij leefde van 1720 tot 1797. Hij vocht in het Russische leger. Na zijn diensttijd vertelde de baron graag verhalen over zijn belevenissen. Zo trok hij zichzelf eens aan zijn eigen laarzen uit een moeras. En vloog hij, hangend aan twaalf ganzen, naar huis. Met één schot velde de baron wel zeven patrijzen. En hij vertelde eens dat hij op een kanonskogel had gevlogen. Zie je het voor je?

Nou nog zacht neerkomen!

De verhalen van de baron waren soms wel erg sterk. Ze konden bijna niet waar zijn, zo raar. Hij zou wel willen dat hij op een kogel kon vliegen. Ja, dat had hij gedroomd!

Allerlei manieren

De baron zou flink opkijken, als hij zag wat er nu allemaal door de lucht vliegt. Vliegtuigen, helikopters, luchtballonnen. In zijn tijd was dat ondenkbaar. Er vlogen alleen vogels en kanonskogels door de lucht. Hij zou je nooit geloven als je vertelde dat jij ook kunt vliegen. Hij zou zeggen dat je een sterk verhaal ophangt. En dat het nooit waar kan zijn. Maar jij weet beter. Vliegen kan echt! Maar dan wel met een voertuig.

DIT RAAD JE NOOIT.

Kijk eens een hele dag naar de lucht. Er komt vast van alles voorbij. Maar wat is nou luchtvaart, en wat niet?

a. Een voorbij schuivende wolk
b. Een overvliegend vliegtuig
c. De glazenwasser die van de ladder valt
d. Een zwevende vlieger
e. Een fladderende vogel
f. Een snorrende helikopter
g. Een verjaardagsballon
h. Een luchtballon

Hoog en vrij

Luchtvaart is bijna onmisbaar. Er zijn ook zo veel dingen die je ermee kunt doen. Je kunt met het vliegtuig op vakantie gaan. Dan is het net een vliegende trein of bus. Er worden mensen uit zee gered met helikopters. Dan is het je redder in nood. En er zijn mensen die de wereld rond reizen in een luchtballon. Hoog en vrij in de wolken. En niemand die je stoort.

Antwoord: b, f en h. Dat zijn voertuigen waarin mensen zich door de lucht verplaatsen.

Van onderen!

Sommige mensen vliegen voor de lol in een
sportvliegtuig. Anderen zweven tussen de wolken, in een
zweefvliegtuig. Dat is een vliegtuig zonder motor. Dat
wordt gedragen door de wind. Er zijn zelfs mensen die
van een heuvel springen. Nee, niet zomaar! Met een
soort zeil. Deltavliegen heet dat. Je zweeft dan door de
lucht en voelt je zo vrij als een vogel. Precies waar de
mensen vroeger al van droomden.

Met een **deltavleugel** spring je van een
berg of duin. Dan zweef je langzaam
naar beneden.

Een **zweefvliegtuig** hoor
je nooit, want er zit
geen motor in!

Lekker sportief rondsnorren in
je **sportvliegtuig**!

Een **verkeersvliegtuig** is net een vliegende bus
waarmee je op vakantie gaat.

In de oorlog is het vliegtuig een machtig wapen.

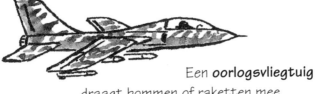

Een **oorlogsvliegtuig**
draagt bommen of raketten mee.

Stuntvliegers zijn echte
waaghalzen. Met hun
stuntvliegtuig geven
ze spectaculaire shows
weg.

Een **heteluchtballon** gaat heel langzaam,
maar je kunt alles wel goed zien!

Een **helikopter**
heeft geen landingsbaan
nodig. Hij kan bijna overal
landen. Op het dak van een gebouw,
bijvoorbeeld.

Vogel. Ja, die hoort er natuurlijk
niet bij, hè!

13

Dromen van vliegen

Zucht, dat wil ik ook

In de oertijd droomden mensen al van vliegen. Ze zagen vogels door de lucht zweven. Of vlinders dwarrelden voorbij. Dan riepen ze vast: 'Grumpf! Wahoehoewa!' En later, toen de mensen konden praten, zuchtten ze: 'Vliegen… Dat wil ik ook! Vrij zijn als een vogel. Wegvliegen naar een ander land. Of naar een onbekende wereld aan de andere kant van de oceaan!'
Maar een mens kan niet vliegen. Of hij moet wel heel bijzonder zijn. Een koning of een god. Dat kan niet anders.

Vleugels op je rug

Zo dachten de mensen er vroeger tenminste over. Er zijn oeroude tekeningen gevonden. Daarop staan koningen met vleugels op hun rug. Die hadden ze niet echt, natuurlijk. Maar de tekenaars vonden hun koning heel bijzonder. Dus dachten ze dat hij vast wel kon vliegen. En de oude Grieken dan. Die vertelden verhalen over helden en goden met bijzondere gaven. In die verhalen werd natuurlijk ook gevlogen.

14

Niet te dicht bij de zon!

Alle goden en helden van de Grieken hadden iets waar
ze heel goed in waren. De held Heracles was super sterk.
En de god Apollo kon heel goed boogschieten. Daedalus
(je zegt: Dee-dalus) had geen superkrachten. Hij was
uitvinder. Maar dat kwam hem goed van pas.
Daedalus had een man helpen ontsnappen uit de doolhof
van de koning. Voor straf zette de koning hem zelf
gevangen. Met zijn zoon Icarus. Maar Daedalus was niet
voor niets een uitvinder. Hij bouwde vleugels van was en
veren. Eén paar voor zichzelf, en één voor zijn zoon.
Daarmee konden ze de doolhof uit vliegen. Maar hij
waarschuwde zijn zoon: 'Vlieg niet te hoog. Door de zon
zal de was van je vleugels smelten. Maar vlieg ook niet te
laag. Dan stort je in zee.'

Gesmolten vleugels

De twee waren al snel gevlogen. Ze zweefden samen
boven de velden. De herders keken op. Waren dat
soms twee goden die daar vlogen? Icarus vond het
fantastisch. Hij vloog hoger en hoger. Zelfs boven de
wolken uit. Maar toen ging het mis! Icarus vergat de
raad van zijn vader. Hij vloog te hoog. De warmte van
de zon smolt de was van zijn vleugels. Ze lieten los!
Icarus stortte in zee en verdronk. Die zee, vlak bij
Kreta, heet nu de Icarische zee.

Naar de maan

Icarus ging net iets te ver. Het idee dat hij kon vliegen…
Dat was natuurlijk geweldig! Zijn wens om te vliegen was
zo groot. Hoe zouden wolken voelen? Kun je erop lopen?
En die maan en de sterren? Hoe ver zijn die eigenlijk
weg? En hoe groot zouden ze zijn?

RAAR *maar* **waar**

Rond 1500 was er een Chinees die Wan Hu heette. Hij
wilde de sterren wel eens van dichtbij bekijken. Hij
bond 47 vuurpijlen aan zijn stoel. De pijlen werden
allemaal tegelijk aangestoken. Al snel klonk er een
enorme knal. Het duurde even voor de rook was
opgetrokken. Maar Wan Hu was verdwenen.

Zou hij echt naar de sterren zijn gevlogen? Niemand
weet het zeker. Misschien was hij wel naar de maan!
Van Wan Hu heeft niemand ooit nog iets gehoord.

Zwevende Chinezen

Wan Hu was érg onvoorzichtig. Maar luchtvaart is wel begonnen door mensen als hij. Mensen die hun leven waagden om te kunnen vliegen. Pioniers heten ze. Ze haalden de raarste fratsen uit. Het ene idee was nog gevaarlijker dan het andere.
Toch waren er Chinezen die het beter deden. En een stuk veiliger. Rond 400 voor Christus bonden zij zichzelf vast aan een vlieger. Die werd dan opgelaten. De Chinezen zweefden door de lucht. Zo konden ze het land verkennen. Maar ja, da's zweven. Niet vliegen. Met zo'n vlieger zit je aan een touwtje vast. Je kunt nergens heen. En het werkt alleen als er genoeg wind staat. Anders kom je niet eens omhoog.

Jaaa! Ik ben een vogel!

En dan had je de Europeanen. Zij bouwden zelf vleugels. Daarmee sprongen ze van het dak. Of ze namen een deken mee van huis, en sprongen van een hoge toren. Zoals de Schotse arts John Damian. Die sprong van een kasteel. Hij brak zijn been. Dat viel trouwens nog mee. Die halsbrekende toeren leverden soms veel ergere dingen op. Er vielen zelfs mensen te pletter. Ze waren bereid ervoor te sterven. Vliegen moest wel heel bijzonder zijn...

Hoera, ik vlieg!

LEONARDO DA VINCI
(1452-1519)

Luchtvaartpionier

Vliegen was bijzonder. Dat
wist Leonardo da Vinci ook
wel. Hij was een Italiaanse
schilder. En beeldhouwer,
huizenbouwer en muzikant.
En dan ook nog eens uitvinder. Leonardo tuurde soms
uren naar de blauwe lucht. Hij dacht: vliegen. Vliegen,
dat moet een mens toch ook kunnen?
Maar Leonardo sprong niet meteen van het dak. Hij was
niet zoals al die andere mensen. Hij dacht eerst goed na.
Hoe doet een vogel dat? En wat heb ik nodig om het ook
te kunnen?
Leonardo tekende eerst een gewone vogel. En daarna
tekende hij er eentje van hout. Hij noemde het de
'flapmachine'. Dáármee zou een mens moeten kunnen
vliegen. Hij hoefde alleen maar met zijn armen de
vleugels te bewegen. De wind zou de rest doen.

Niet voor slappelingen
Maar Leonardo vergat iets. De houten vleugels waren zo
zwaar. Geen mens was sterk genoeg om ze te bewegen.
Niemand had zulke grote spierballen. Dáár had Leonardo
weer niet aan gedacht. Toch was zijn idee zo slecht nog
niet. Helaas stierf Leonardo in 1519. En na zijn dood keek
niemand meer om naar zijn tekeningen. De mensen
gingen gewoon door met van het dak springen. En
sommige verzonnen de vreemdste voertuigen. Geen een
werkte. Maar ze zijn wel leuk om naar te kijken!

18

Omhoog in een ballon

Vliegen, hoe dan?

Een vliegmachine bedenken is nog niet zo makkelijk. Nu niet, en vroeger al helemaal niet. Dat komt doordat niemand er iets van afwist. Het was nog nooit iemand gelukt om te vliegen. Dus konden de mensen ook niets van elkaar afkijken. Het enige waar ze naar keken, was die vogel.

Maar wie zegt dat je daarnaar moet kijken? En wie zegt dat je heel diep moet nadenken? Je kunt ook bij toeval een goed idee krijgen.

JOSEPH EN JACQUES MONTGOLFIER

Frankrijk, 1783. Het was een koude winteravond. De vrouw van Joseph Mont- golfier stond voor de open haard. Joseph zat ernaast in

Luchtvaartpionier

zijn stoel. Het viel hem op dat haar jurk bol stond. Hoe zou dat komen? Was de rook van het vuur eronder gekomen?

Nee, de hete lucht duwde de rok omhoog. Het moest eerst even tot Joseph doordringen. Maar ineens snapte hij het. Dat was de oplossing! Warme lucht stijgt op. Nu nog iets anders dan een rok, om de rook in op te vangen. En dan zal het gaan vliegen! Joseph vertelde zijn broer Jacques erover. Samen bedachten ze een plan.

Kijk daar!

De broers werkten in een papierfabriek.
Daar maakten ze van papier een grote
ballon. Ze gingen ermee naar het marktplein.
Daar maakten ze een vuur. Jaqcues en Joseph
hingen de ballon erboven. Er gebeurde
precies wat ze hadden gedacht. De ballon
steeg op. Hij vloog! Het marktplein was
volgestroomd met mensen. En iedereen die
het zag, was stomverbaasd.

Een vliegend schaap

Hun ballon had gevlogen! Nu gingen de broers een stap
verder. Ze hingen een mand onder de ballon. Daarin
stopten ze een haan, een eend en een schaap. Opnieuw
stookten ze een vuur. En weer steeg de ballon op. De
dieren vlogen wel drie kilometer over het Franse land.
Toen was de hete lucht afgekoeld. Langzaam zakte de
ballon naar de grond. De dieren landden in het bos.
Gelukkig, ze hadden het er levend vanaf gebracht. Alleen
had de haan zijn vleugel bezeerd. Het schaap was erop
gaan staan.

Maar hij prikte
met zijn snavel in
mijn oog!

Zo kwam het dat de eerste piloot geen mens was. Het
waren drie dieren. Toch waren Jacques en Joseph gelijk
beroemd.

21

Hij doet het!

Nu wilden de broers wel eens een mens laten vliegen. Op
21 november 1783 was het zover. De markies d'Arlandes
wilde wel met een ballon omhoog. Zijn jonge vriend,
Pilatre de Rozier ging met hem mee.
Onder de ballon hing nu een grote rieten mand. Daarin
zat een grote vuurpot. De markies en zijn vriend moesten
in de lucht het vuur brandend houden. De hete lucht die
eraf kwam, liet de ballon stijgen.
Werkte het? Ja. De ballon vloog wel 35 minuten door de
lucht. Hij legde 8,3 kilometer af.

Lekker windje

Wat gaaf, ballonvaren! Al gauw vlogen er ballonnen over
heel Frankrijk. Wie kon vliegen, was meteen beroemd. En
ook nog eens een held.
Maar na een tijdje was Frankrijk niet groot genoeg meer.
Dat vond de Fransman Jean Pierre Blanchard tenminste.
Hij wilde iets nieuws doen. Iets wat nog nooit iemand
had gedaan. Hij wilde de zee over vliegen, naar
Engeland. Daarvoor koos hij het stuk waar de zee tussen
Engeland en Frankrijk het smalst is. Dat heet 'het Kanaal'.

Bloot

Nou, dat ging maar net goed. De ballon zakte bijna in
zee. Hoe kregen ze die ballon weer omhoog? Gauw
gooiden Jean Pierre en zijn medereiziger al hun spullen
overboord. De zandzakken, de versieringen van de
ballon. Zelfs hun kleren wierpen ze in het water. Ze
haalden het! Ze landden in een boomtop in Engeland.
Zonder kleren. Gelukkig verdienden ze er genoeg geld
mee om nieuwe te kopen.

7 januari 1785. De Fransman Jean Pierre Blanchard steekt als eerste met een ballon het Kanaal over.

11 augustus 1978. Amerikaanse ballonvaarders steken de Atlantische Oceaan over in 6 dagen. Zij leggen een afstand af van 5.000 km.

21 maart 1999. De Zwitser Betrand Piccard en Engelsman Brian Jones vliegen non-stop de wereld rond in een ballon. Dat kost hen 19 dagen, 21 uur en 55 minuten.

2 juli 2002. De Amerikaan Steve Fosset reist als eerste alleen rond de wereld zonder te stoppen. Zijn heteluchtballon deed er 14 dagen, 19 uur en 50 minuten over.

Levensgevaarlijk

De luchtballon was de eerste vliegmachine die werkte. Iedereen was hartstikke trots op de broers Montgolfier. Maar waren ze niet iets vergeten? Dat luchtvaart ook gevaarlijk kan zijn? Weet je nog, die mensen die neervielen met hun zelfgebouwde vleugels?

Daar had een andere Fransman iets op gevonden. Hij bouwde de eerste parachute. Dat deed hij in hetzelfde jaar dat de luchtballon werd uitgevonden. De parachute was bedoeld om uit een brandend gebouw te springen. Maar rond 1785 redde hij ook voor het eerst het leven van een ballonvaarder.

Knalgas

Te pletter vallen was niet het enige gevaar van luchtvaart. Er was nog iets. Maar wat? Een botsing met een wolk? Een vogel die de ballon lek prikt? Nee, brand! Sommige mensen stopten waterstof in hun ballon. Dat is gas dat vanzelf opstijgt. Lekker makkelijk! Maar waterstof is ook erg brandbaar. Het wordt ook wel knalgas genoemd. Als er lucht en een vonkje bij komt, vliegt het zo de lucht in. En al zag hij eruit als een sigaar, het was niet de bedoeling dat het luchtschip van de graaf Von Zeppelin in brand vloog.

GRAAF FERDINAND VON ZEPPELIN (1838-1917)

Graaf Ferdinand von Zeppelin was een Duits militair. Hij zag dat de Fransen hun luchtballonnen gebruikten in de oorlog. Ze

Luchtvaartpionier

verkenden het gebied van de vijand ermee vanuit de lucht. Zoiets wilde hij ook wel. In 1900 bouwde hij een eigen ballon. Die had de vorm van een sigaar. Hij noemde hem: de zeppelin. De zeppelin was gevuld met waterstof.

Luxe luchtschip
Met de eerste zeppelin werd de vijand bespied. Net als de Fransen deden. Hij hing aan een touw in de lucht. Later ging de graaf er reizigers mee vervoeren. Hij hing er een cabine onder en zette er motoren op. Hij gaf zijn luchtschip propellers. Ook kwam er een roer achterop. Daarmee kon de piloot sturen. Aan boord van de zeppelin waren eetzalen, slaapkamers, leeszalen en zelfs obers. Wie met de zeppelin reisde, leefde in luxe. De zeppelin werd wel een 'vliegend paleis' genoemd. De paleizen van de graaf vlogen tussen grote steden in Europa. Ze gingen zelfs naar Amerika.

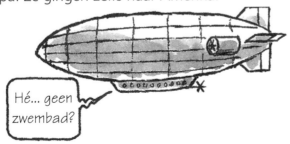

Hé... geen zwembad?

ECHT GEBEURD...

De waterstof in de zeppelin was levensgevaarlijk. In 1937 vloog de Hindenburg in brand. Dat was een beroemde zeppelin.

De Hindenburg wilde landen bij New York. Er brak brand uit in de staart. Binnen een minuut werd de hele zeppelin door het vuur verwoest. Sommige mensen sprongen van 60 meter hoogte naar beneden. Van de 97 mensen aan boord, kwamen er 36 om het leven. Met de zeppelin werd niet meer gevlogen. Veel te gevaarlijk.

Ouderwetse ballonnen

Nu vliegen er gewoon weer ouderwetse heteluchtballonnen door de lucht. Net als de eerste ballon van Jacques en Joseph Montgolfier. Maar heteluchtballonnen zien er wel anders uit dan vroeger. Er wordt geen vuur meer gestookt van stro en wol. Nee, er gaan gasflessen mee de lucht in. De ballonnen zijn niet van papier gemaakt. Ze zijn van nylon. Dat is veel sterker.

26

Hoe werkt dat?

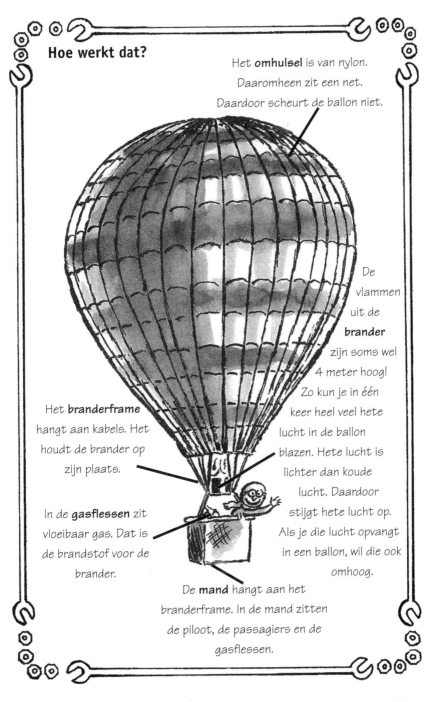

Het **omhulsel** is van nylon.
Daaromheen zit een net.
Daardoor scheurt de ballon niet.

De vlammen uit de **brander** zijn soms wel 4 meter hoog! Zo kun je in één keer heel veel hete lucht in de ballon blazen. Hete lucht is lichter dan koude lucht. Daardoor stijgt hete lucht op. Als je die lucht opvangt in een ballon, wil die ook omhoog.

Het **branderframe** hangt aan kabels. Het houdt de brander op zijn plaats.

In de **gasflessen** zit vloeibaar gas. Dat is de brandstof voor de brander.

De **mand** hangt aan het branderframe. In de mand zitten de piloot, de passagiers en de gasflessen.

27

Zware zakken

Voordat een luchtballon opstijgt, zit hij vast aan de grond. Dat kan met touwen. Maar vaak hangen er ook zware zakken met zand aan de mand. Die zorgen dat hij er niet vandoor gaat, voordat iedereen is ingestapt. Wil je stijgen? Dan maak je de touwen los. Als je niet snel genoeg stijgt, laat je wat zandzakken vallen. En wil je weer omlaag? Dan zet je gewoon de brander uit.

HET HOOGST MET EEN BALLON

Hoe meer hete lucht in de ballon, hoe hoger hij gaat. Vijaypat Singhania uit India is het hoogst gekomen. In 2005 haalde hij een hoogte van wel 21.291 meter. Dat is meer dan 21 kilometer. Eigenlijk wilde Vijaypat nog hoger. Maar zijn mannen aan de grond lieten hem terugkeren. Veel te gevaarlijk.

Vijaypat zat trouwens niet in een mand. Hij zat in een speciale capsule van aluminium. Dat moest, want op 21 kilometer hoogte kun je niet meer normaal ademhalen. Vijaypat was twee uur en 15 minuten onderweg.

Hoe word ik ballonvaarder?

Lijkt het je leuk in een luchtballon? Welk record zou jij proberen te breken? Vlieg je de oceaan over? Of ga je de hele wereld rond?

Dan moet je wel eerst een brevet hebben. Dat is een soort rijbewijs. Maar dan een voor een luchtballon. Om je brevet te halen, moet je veel over het weer weten. Maar je moet ook de weg kunnen vinden. En natuurlijk moet je weten hoe een luchtballon werkt.

Vergeet niet in je achteruit-kijkspiegel te kijken!

BALLON RIJSCHOOL
HET WOLKJE
L

Winderig hier

Een ballonvaarder heeft van alles aan boord. Zoals een hoogtemeter en een kompas. Daarop kan hij zien welke kant hij op vaart. Een ballonvaarder kan niet echt sturen. Hij kan niet zeggen: 'Daar wil ik heen.' Want een ballon gaat alleen waar de wind hem heen blaast.

Toch kan de ballonvaarder wel een beetje zijn richting bepalen. Want de wind staat niet op elke hoogte hetzelfde. Op 5.000 meter hoogte kan de wind een hele andere kant op waaien dan op 1.000 meter hoogte. Door lager of hoger te gaan vliegen, gaat hij dus een andere kant op.

Landen wordt hierdoor trouwens best lastig. Want bij de grond staat de wind soms heel anders dan hoog in de lucht. Daarom leest de ballonvaarder de weerberichten.

RAAR *maar* **waar**

Zie je een luchtballon landen? Geweldig! Maar niet iedereen is er zo blij mee.

'Ze maken de koeien aan het schrikken!' zeggen de boeren. Nou, zij kunnen er anders wel lekker geld mee verdienen. Landt een luchtballon op een weiland? Dan moet de ballonvaarder de boer 25 euro betalen. Dit geldt voor zes personen. Voor elke persoon meer in de ballon, krijgt de boer 2,50 euro extra.

De eigenaar van de Nashua-ballon mag wel oppassen waar hij landt! De Nashua-ballon is een van de grootste luchtballonnen ter wereld. Hij kan wel 50 mensen meenemen. Dat is dus 135 euro als hij verkeerd landt.

Saai, zeg!

Ballonvaren is best gaaf. Maar sommige mensen vinden het maar saai. Zulke mensen waren er vroeger ook al. Die vonden zo'n ballon veel te groot. Het ging niet snel. Een ballon was niet wendbaar. Hij was hartstikke duur. En er gebeurden soms vreselijke ongelukken mee. De mensen die dat zeiden, wilden nog steeds vliegen als vogels. Het moest kunnen!

Vliegen als een vogel

De eerste mens die vliegt als een vogel

Wil je vliegen als een vogel? Dan moet je denken als een vogel. Eruit zien als een vogel. En bewegen als een vogel. Zo dacht de Duitser Otto Lilienthal er tenminste over. In 1891 bouwde hij een soort zweefmachine. Hij gebruikte houten stokken en stukken doek. Met de machine sprong hij van een heuvel. Otto zweefde 250 meter door de lucht. Hij was de eerste mens die vloog met vleugels. Hij was de uitvinder van het zweefvliegtuig.

OTTO LILIENTHAL
(1848-1896)

Otto had ontdekt hoe vogels vlogen. En hoe hij dat na kon doen. Hij wist dat een vogel wordt gedragen door de lucht. Met vleugels moest

Luchtvaartpionier

Otto dat ook kunnen. Als hij maar niet te zwaar was. De vleugels moesten de goede vorm hebben. En hij moest snel gaan. Want zonder snelheid kun je niet vliegen. Er moet lucht langs de vleugels stromen. Daarom sprong Otto van een heuvel. Dan had hij wat vaart.

Hoe werkt dat?

Volgens Otto Lilienthal blijft een vliegtuig zo in de lucht:

Als je van een heuvel springt, stroomt er lucht langs de vleugels. Hieronder zie je een vliegtuigvleugel van opzij. Bovenop is de vleugel bol. Onderaan is hij plat.

De lucht gaat sneller onder de vleugel door, dan er overheen. Dit komt doordat de lucht boven in een boog loopt. En onder rechtdoor. Vergelijk het maar met een stukje lopen. Als je rechtdoor ergens naartoe loopt, ben je sneller dan als je in een boogje loopt.

Loop je een boogje? Dan moet je sneller lopen om er even snel te zijn. De lucht boven de vleugel moet eigenlijk ook sneller. De lucht onder de vleugel wil graag helpen. Maar ja, er zit een vleugel tussen. Die drukt hij daarom omhoog.

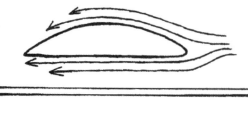

Niet hard genoeg

Maar Otto ging lang niet hard genoeg. Ja, de eerste honderd meter wel. Daarna ging hij steeds langzamer. Daardoor daalde hij. Als hij nou een motor had... Dan ging hij wel harder. Dan bleef hij vast wat langer hangen. Maar juist toen Otto dat bedacht had, stortte zijn vliegtuig neer. Hij werd zwaargewond naar het ziekenhuis gebracht. Een dag later stierf hij.

Blijven zweven

Gelukkig was Otto's levenswerk niet voor niets. Want zweefvliegen bestaat nog steeds. In het hele land zijn clubs waar je lid van kunt worden. Dan kun je met hele lichte vliegtuigen zweefvliegen. De vliegtuigen worden met een kabel of door een ander vliegtuig de lucht in getrokken. Langzaam zwevend daalt zo'n vliegtuig dan naar beneden.

Joehoeoeoe!! Bedankt, Otto!

HET LANGSTE ZWEVEN

Je wilt natuurlijk zo lang mogelijk blijven zweven. Daarom maakt de piloot gebruik van thermiek. Dat is een bel warme lucht die opstijgt. Maar soms stijgt het vliegtuig ook door een hellingstijgwind. Die ontstaat als de wind tegen een duin of berg op waait. In ons land kan dit alleen bij de duinen. Een Nederlander is door zo'n stijgwind eens 24 uur en 3 minuten in de lucht blijven hangen.

Een nieuw vliegtuig

De Amerikaanse broers Wright wisten een betere manier
om lang in de lucht te blijven hangen. Ze zetten gewoon
een motor met propeller op hun vliegtuig. Of het zou
werken, wisten ze niet. Maar dat gingen ze op 17
december 1903 wel even proberen.

De Wright Flyer

Een koude decemberdag in 1903. Het was vroeg in de
ochtend. Een ijzige wind blies over het land. Maar Orville
en zijn broer Wilbur waren vastbesloten het die dag te
proberen.
Ze zetten hun Flyer op het strand. Orville klom erop. De
motor sprong aan. De propellers draaiden. Het vliegtuig
beefde en wilde weg. Vijf sterke mannen hielden het nog
tegen. Toen riep Orville vanaf de vleugel 'Go!' De Flyer
schoot ervandoor. Vol spanning keken de toeschouwers
het vliegtuig na. Toen zagen ze het... opstijgen! Hij deed
het. De Flyer vloog. Het vliegtuig was geboren...

De broers Wright maakten op 17 december 1903 een paar
vluchten. Bij de eerste vlucht legde de Flyer 40 meter af. En
bij de laatste wel 230 meter. Die vlucht duurde bijna een
minuut.

Dat kunnen wij ook!

Ook in Europa gingen ze nu vliegtuigen met motoren bouwen. Als die twee Amerikanen het konden, waarom zij dan niet? Sommige vliegtuigbouwers lukte het om te vliegen. Maar er waren er veel meer die niet eens van de grond kwamen. Of die meteen neerstortten. Veel bouwers kwamen om het leven. En anderen hadden nog veel te leren.

Vliegles

Daarom kwam Wilbur Wright in 1908 met een vliegtuig naar Europa. Hij zou wel even laten zien hoe het moest. Hij vloog in Frankrijk over de paardenrenbaan. Voor het oog van honderden mensen. Hij oefende boven het hele land.

Op een dag vloog hij wel 1 uur, 31 minuten en 25 seconden! Dat was heel erg lang voor die tijd. Dat mocht wel in de krant!

Dat mag wel in de krant

Een Engelse krant wilde ook wel eens verbaasd staan. De Daily Mail loofde daarom een prijs uit. Degene die het eerst met een vliegtuig over het Kanaal zou vliegen, kreeg 1.000 pond. Met een heteluchtballon was het al gedaan. Dus waarom niet met een vliegtuig? Zo dacht Louis Blériot er nou ook over.

the DAILY MAIL

26 juli 1909

Franse invasie in Engeland

Het is hem gelukt! De Fransman Louis Blériot is met een vliegtuig het Kanaal overgestoken. Gisteren landde hij op het strand van Dover met zijn zelfgebouwde Blériot XI. De vlucht duurde maar 37

de aankomst van louis Blériot

minuten. Ons land is niet langer van de rest van Europa gescheiden door de machtige zee. Waar gaat dat heen? In een half uur kan men ons eiland bereiken. We moeten waakzaam zijn. Straks hoort de vijand ervan.

LOUIS BLÉRIOT
(1862-1936)

Na zijn landing vroeg de douane aan Louis of hij iets had aan te geven. 'Alleen mijn blijdschap,' riep hij trots. Louis was dolgelukkig. De Engelsen waren niet zo

Luchtvaartpionier

blij met Louis. Straks vloog iedereen het Kanaal over. Zelfs de vijand. Louis maakte het niets uit. Het was hem gelukt. Hij ging lekker door met vliegtuigen bouwen.

36

Vliegtuigje bouwen

Stap voor stap

Vliegtuigen worden gebouwd in grote fabrieken. Niet meer in een schuur in de achtertuin, zoals de eerste bouwers dat deden. Eerst wordt een romp gebouwd. Daaraan worden de vleugels gehangen.

Aan de bouw van een vliegtuig werken veel mensen. Maar voor ze beginnen wordt eerst diep nagedacht. Over het ontwerp. Hoe groot moeten de vleugels zijn om het gewicht te dragen? En waar worden ze van gemaakt? Hoeveel mensen moeten er in het vliegtuig? En hoeveel motoren moeten erop?

De grootste van de wereld

De mensen die zo'n vliegtuig bedenken, hebben daarvoor geleerd. Ze weten hoe andere vliegtuigen zijn gebouwd. En welk materiaal het sterkst is. Vroeger wisten veel mensen dat niet. Sommige mensen bakten er daardoor niks van. Anderen waren er juist heel goed in. Louis Blériot was er zo een. Maar misschien was de Nederlander Anthony Fokker nog wel beter. Ja, dat moet wel. Want zijn fabriek was ooit de grootste van de hele wereld.

ANTHONY FOKKER
(1890-1939)

Luchtvaartpionier

Anthony Fokker hield niet van school. Hij sleutelde liever aan auto's. Of hij vouwde papieren vliegtuigjes. Toen hij wat ouder was, ging hij naar Duitsland. Daar was een speciale school. Je leerde er voor automonteur. Maar je kreeg er ook vlieglessen. Alleen bleken ze op die school geen vliegtuig te hebben. Da's ook suf! Hoe kun je er dan les in krijgen? De leerlingen bouwden zelf een vliegtuig. Helaas: de leraar vloog het in puin! Toen bouwde Anthony met een vriend een eigen toestel. De Spin, noemde hij het.

Help!

SPIN I

Nog een vliegende spin!

Anthony bouwde niet alleen het vliegtuig. Hij was ook piloot. Hij was apetrots op zijn vliegtuig. Tot de vriend die hem had helpen bouwen, de Spin kapot reed tegen een boom. Toen ze een nieuwe hadden gebouwd, vloog die vriend de 'Spin 2' te pletter! De vriend was natuurlijk flink geschrokken. Vliegen was niets voor hem. Anthony kon naar de hel vliegen met zijn vliegtuigen! Nou, dat deed hij niet. Hij vloog ermee om de kerktoren van Haarlem. Het was zijn derde Spin alweer.

De beste van allemaal!

Vliegen vond Anthony hartstikke spannend. Maar vliegtuigen bóúwen vond hij toch het leukst. Dat deed hij dan ook naar hartenlust. In de Eerste Wereldoorlog bouwde hij 3.500 vliegtuigen. De Fokkers waren misschien wel de beste vliegtuigen uit de hele Eerste Wereldoorlog.
In 1919 richtte Anthony Fokker de Nederlandse Vliegtuigenfabriek op. En in 1922 zette hij in Amerika een fabriek op. Aan het einde van de jaren twintig was Fokker de grootste vliegtuigbouwer ter wereld. Zijn fabrieken bouwden volop militaire vliegtuigen en verkeersvliegtuigen. Maar in 1996 ging het fout. Het geld was op. En het bedrijf werd gesloten. Anthony Fokker heeft dat niet meer meegemaakt. Die overleed al in 1939.

Toen Anthony Fokker jong was, vouwde hij de hele dag papieren vliegtuigjes. Allemaal testte hij ze uit. Hij onthield welke het beste vloog. Zijn eerste Spin leek een beetje op een papieren vliegtuig dat hij ooit gevouwen had.

Hoe ziet jouw droomvliegtuig eruit? Probeer dat eerst eens te vouwen. Daarna kun je zelf allerlei modellen verzinnen.

Dit heb je nodig:
- veel vellen papier
- lenige vingers
- een scherp oog

En nu aan de slag: Vouw zoals hieronder in de tekeningen

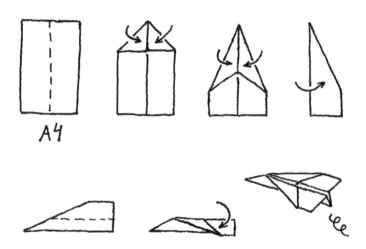

Nu heb je je eigen vliegtuig. Maar vind je dat hij zo af is? Je kunt er nog best wat aan veranderen. Je kunt de toppen van de vleugels ombuigen. Dan vliegt hij misschien wel beter. Of je kunt er een staart aan maken. Misschien vliegt hij dan wel rechter. Je kunt natuurlijk ook een wat moeilijker vliegtuig vouwen. Je zult zien dat dit heel anders vliegt.

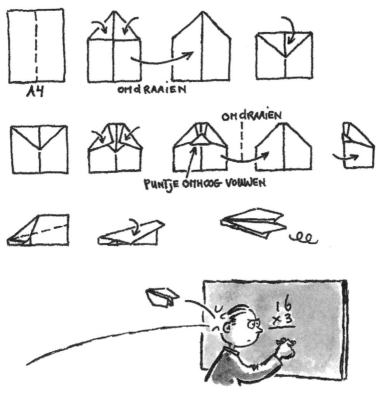

Klaar? Geef je vliegtuig dan een kleur en een naam. Probeer het ook eens met een heel groot vel papier. Of juist een heel kleintje. Verzin zelf modellen. En vergeet niet als je vliegtuig eenmaal vliegt, de tijd op te nemen!

DE LANGSTE PAPIEREN VLUCHT

De Amerikaan Ken Blackburn kon heel goed vliegtuigjes vouwen. Op 8 oktober 1998 zweefde zijn vliegtuig wel 27,6 seconden door de lucht. Probeer dat record maar eens te verbeteren.

Alles testen

De grootste vliegtuigbouwers hebben papieren vliegtuigjes gevouwen. En dat is niet eens zo gek. Want je kunt alles testen. De vleugels, de neus, de staart. En al dat getest heeft heel wat opgeleverd. Maar toch kan het altijd nog beter, groter en sneller.

Wedstrijdje

De eerste vliegtuigen werden vooral gebouwd om mee te
oefenen. En om wedstrijdjes te vliegen. Kijken wie het
eerst in Parijs is. Eens zien hoe lang je kunt doorvliegen
zonder te stoppen. Wie vliegt het eerst de oceaan over?
Wie is het snelst de bergen over? De piloten wilden
elkaar vooral de loef afsteken.

Steeds verder

Er vlogen er honderden over de wereld. Ze vlogen over
rivieren en meren. En zelfs over hoge bergen als de
Alpen. In 1927 stak Charles Lindbergh zonder tussenstop
de Atlantische Oceaan over. Amerika en Europa waren
met elkaar verbonden. Lindbergh vloog in 33 uur van
New York naar Parijs.
Nu doet een verkeersvliegtuig er nog maar zes uur over!
Dat komt vooral doordat de vliegtuigen van nu geen
propellers meer hebben. Ze hebben hele snelle
straalmotoren. Sommige verkeersvliegtuigen vliegen zelfs
harder dan 1.000 kilometer per uur. De oude
propellervliegtuigen konden vaak maar 400 kilometer per
uur. Maar ze kwamen wel ver.

Recordvluchten

Morane-Saulnier H

De Fransman **Roland Garros** stak als eerste, zonder te stoppen, de Middellandse Zee over. Dat was in 1913. Toen hij aankwam, had hij nog maar een paar druppels benzine over. Als eerbetoon is er een tennistoernooi naar hem vernoemd.

Spirit of st. louis

Charles Lindbergh vloog helemaal in zijn eentje van New York naar Parijs. Hij deed er 33 uur over. Zijn bijnaam was 'De eenzame adelaar'. Het vliegtuig heette de Spirit of St. Louis.

44

De **Latécoère** maakte in 1930 de eerste postvlucht over de Atlantische Oceaan. De Latécoère was een watervliegtuig. Een watervliegtuig heeft drijvers in plaats van wielen. Daarmee blijft het op het water drijven. Zo kan het opstijgen vanaf zee, en erop landen. Handig rond eilanden, of als er geen vliegveld is.

De Amerikaanse **Amelia Earhart** zette een record door het hoogst te vliegen van alle vrouwen ter wereld. Maar ze was in 1932 ook de tweede persoon die de Atlantische Oceaan overstak. En de eerste vrouw. In 1937 wilde Amelia de hele wereld rondvliegen. Ze raakte vermist. Niemand heeft nog iets van haar gehoord. Geen spoor van de heldin.

Mag ik ook eens?

Vanaf de grond was het vast heel spannend om die piloten bezig te zien. Maar hoe zou het daarboven zijn? De mensen op de grond wisten het niet. Vliegen was lang niet voor iedereen weggelegd. Alleen voor mensen die zelf een vliegtuig hadden. En die dan ook nog eens konden vliegen.

Hadden wij maar een vliegtuig, moeten veel mensen gedacht hebben. Of mochten we maar een keer meevliegen... Maar wie had er zo'n groot vliegtuig? Wie verkocht kaartjes? En wie nam er passagiers mee?

ALBERT PLESMAN
(1889-1953)

De Nederlander Albert Plesman wilde wel kaartjes verkopen. Hij was piloot bij de luchtmacht. En hij was helemaal weg van

Luchtvaartpionier

vliegtuigen. Hij had één droom: Nederland moest een groot luchtvaartland worden. In 1919 richtte hij de KLM op. De Koninklijke Luchtvaart Maatschappij. Hij ging met zijn vliegtuigen post en mensen vervoeren. Eerst alleen naar Londen. Later over de hele wereld.

Toen

Vliegen was vroeger spannend. Je moest het een keer hebben meegemaakt. Maar het was lang niet altijd even leuk. Die oude toestellen piepten en kraakten aan alle kanten. Je zat dik ingepakt in je stoel. Want boven in de lucht is het veel kouder dan op de grond. En de kachel wilde het nog wel eens begeven. Praten over het mooie uitzicht was er niet bij. De motor maakte veel te veel lawaai. Alles trilde, en de propellers draaiden hard in het rond. En vliegen was ook niet al te veilig.

Nu

Nu zit je lekker achterover gezakt in een vliegtuigstoel. Je krijgt wat te drinken en te eten. De motor hoor je bijna niet meer. Lekker een filmpje kijken aan boord. Straks nog naar de wc en dan lekker slapen. Fijn met het vliegtuig op vakantie!

RAAR *maar* waar

Ze zeggen wel eens dat vliegen veiliger is dan autorijden. Tegenwoordig is dat ook zo. Maar vroeger juist helemáál niet. Veel mensen durfden niet te vliegen. Er gebeurden zo veel ongelukken. Er stortten best veel vliegtuigen neer. De kans dat je zo'n ongeluk overleefde, was heel klein.

Een Amerikaans postkantoor opende eens een postroute tussen New York en Chicago. Ze begonnen met 40 piloten. Daarvan kwamen er 31 om. Hun vliegtuig stortte neer. Misschien waren de vliegtuigen wel niet sterk genoeg.

Dat past nooit!

Om meer mensen mee te krijgen, werden er snel sterkere vliegtuigen gebouwd. Van metaal. Want in houten vliegtuigen die uit elkaar vielen, wilde niemand mee. Het hielp. Na een paar jaar kozen steeds meer mensen voor het vliegtuig. Gelukkig maar... Maar toen pasten al die mensen er weer niet in! Veel te krap natuurlijk. Dus moesten er grotere vliegtuigen komen.

·○· DIT RAAD JE NOOIT ·○·

Grotere vliegtuigen wegen meer. Een vol verkeers-vliegtuig weegt wel 400.000 kilo. Dat is net zo veel als 400 auto's. Hoe blijft dat ding eigenlijk zweven?

a. Er moeten meer motoren op, wel twintig!

b. Er moeten juist minder motoren op. Die zijn veel te zwaar.

c. Dikke mensen mogen niet mee.

d. Zo'n vliegtuig heeft gewoon grotere vleugels nodig.

Wat een megavliegtuig!

Een heel beroemd groot toestel is de Boeing 747. Omdat het zo groot is, wordt het ook wel Jumbojet genoemd. De Jumbojet is 70 meter lang. Er passen meer dan 500 mensen tegelijk in. Dat mag ook wel voor dat geld. Als je een Jumbojet wilt kopen, kost je dat 115 miljoen euro!

Antwoord: Weet je nog hoe een vliegtuig vliegt? De lucht onder de vleugel wil naar boven om te helpen. Nou, als de vleugel groter is, duwt er ook meer lucht tegen de vleugel. d. dus.

Kan het nog groter?

De Jumbojet is niet het grootste verkeersvliegtuig ter wereld. Dat werd in 2005 door het bedrijf Airbus gebouwd. Het is de Airbus A380. Er passen 555 passagiers in. Het toestel is 2 meter langer dan de Jumbojet. Toch is het niet het allergrootste vliegtuig dat bestaat.

HET GROOTSTE VLIEGTUIG

Dat is de Russische Antonov 225. Het toestel is 84 meter lang. De spanwijdte (van de ene vleugeltip tot de andere vleugeltip) is 88,4 meter. In het laadruim passen tachtig auto's. Of een Boeing (zonder vleugels dan). Als de Antonov helemaal vol is, weegt hij 600.000 kilo!

De Antonov werd gebouwd voor de ruimtevaart. Ze wilden er spaceshuttles in vervoeren. Maar toen het vliegtuig af was, was dat niet meer nodig. Nu vervoert de Antonov vracht. Het probleem is alleen... hij is zo groot! Hij past op bijna geen enkel vliegveld.

Dus u bent de piloot van de Antonov?

De Antonov heeft wel 32 wielen en een miljoen pk. Dat is de kracht van een miljoen paarden. De bijnaam van de Antonov is 'Mriya'. Dat is Russisch voor 'droom'.

Fokker FII (1920)
Het eerste KLM-vliegtuig
Snelheid: 120 km per uur
Passagiers: 4

Douglas DC-3 (1935)
Snelheid: 300 km per uur
Passagiers: 24

De Havilland DH-106 Comet (1952)
Het eerste verkeersvliegtuig met een straalmotor
Snelheid: 700 km per uur
Passagiers: 36

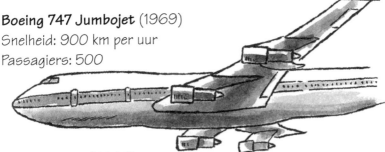

Boeing 747 Jumbojet (1969)
Snelheid: 900 km per uur
Passagiers: 500

Airbus A380 (2005)
Het grootste verkeersvliegtuig ter wereld
Snelheid: 1.000 km per uur
Passagiers: 555

Vliegen, dat gaat zomaar niet!

Ik kom er nu aan!

Die sterkere, grotere, snellere vliegtuigen hebben
geholpen. Mensen staan nu in de rij om mee te gaan.
Sommige mensen vliegen zelfs elke dag. Voor hen is het
net als autorijden. Of op de bus stappen. Voor die
mensen is het vliegveld net een bushalte.
Een vliegveld waar verkeersvliegtuigen landen, noem je
een luchthaven. Je kunt er aan boord van een vliegtuig
stappen. Je wordt naar een andere luchthaven gevlogen.
Daar stap je dan weer uit. En als je wilt, kun je weer in
een ander vliegtuig gaan zitten. De luchthaven is een
plek waar vliegtuigen landen en opstijgen.

DE GROOTSTE LUCHTHAVEN

De grootste luchthaven is die van Atlanta in Amerika.
Er komen per jaar bijna 84 miljoen reizigers voorbij.
Dat zijn er 230.000 per dag! Het Engelse Heathrow is
de grootste van Europa. Er komen meer dan 170.000
reizigers per dag. Luchthaven Schiphol moet het met
116.000 doen.

Op de luchthaven

Midden op de luchthaven staat een groot hoofdgebouw. Dat heet de **terminal**. Daar verzamelen de reizigers zich voor ze op het vliegtuig stappen.

Uit de terminal steken allemaal lange armen. Dat zijn hallen, die naar de vliegtuigen lopen. Ze noemen het **pieren**.
Aan die pieren, zitten allemaal **slurven**. Daardoor loop je, als je het vliegtuig in stapt.

En dan zijn er nog **lopende banden** voor de koffers. Daarna wordt de bagage met karren naar de vliegtuigen gebracht.
Het is altijd druk op een luchthaven. Er gebeurt van alles. Veel meer dan je misschien wel denkt.

Wat zie je allemaal?

Ben je wel eens op een luchthaven geweest? En heb je toen al die vliegtuigen gezien? Wat viel je het meest op? Misschien wel de enorme toren die overal bovenuit steekt. Dat is de verkeerstoren. Vandaar kun je de hele luchthaven zien. Als je daar nu eens bovenin stond, dan kon je precies bekijken wat er op de luchthaven gebeurt.

Hoog en droog

Vanuit de verkeerstoren wordt alles op de luchthaven in de gaten gehouden. Niet alleen de vliegtuigen, maar ook de auto's met de koffers, de trappen en de brandweerwagens. De verkeersleiders zorgen ervoor dat deze niet botsen. Zij zitten de hele dag boven in de toren om zich heen te kijken.

Hoe werkt dat?

De verkeersleiders houden alles in de gaten. Maar ze kijken niet alleen met hun ogen. Ze gebruiken ook radar. Dat is een apparaat waardoor je kunt zien wat er op de luchthaven beweegt. En welke kant het op gaat. Een radar zendt onzichtbare stralen de lucht in. Als die stralen iets raken, kaatsen ze terug. Een vliegtuig, bijvoorbeeld. Op het radarscherm ziet de verkeersleider waar dat vliegtuig staat of rijdt. De radar in de verkeerstoren laat alleen zien wat er op de grond beweegt.

De lucht in!

De verkeersleiders in de toren zijn niet de enige. Iets
verderop, in een grote hal, zitten er nog meer. Dat zijn de
'lucht'verkeersleiders. Zij houden niet de grond, maar de
lucht om het vliegveld in de gaten.
Er zijn ook mensen die het vliegverkeer tussen de luchthavens in de gaten houden. Die kunnen overal zitten.
Bijvoorbeeld tussen twee luchthavens in. Ja, vliegtuigen
worden scherp in de gaten gehouden. Vliegen, dat gaat
zomaar niet! En al helemaal niet zonder piloot!

Van start tot landing

Zonder piloot kom je natuurlijk nergens. Iemand moet
dat grote gevaarte van wel 400.000 kilo de lucht in
krijgen. Bij een groot verkeersvliegtuig zijn er vaak twee
piloten aan boord. Degene die het langst piloot is, is de
gezagvoerder.
Als een gezagvoerder wil vliegen, laat hij de luchtverkeersleiding een vliegplan zien. In dat plan staat welke
kant hij op wil vliegen. Ook staat er wat hij vervoert. Hoe
laat hij vertrekt, de vlieghoogte en hoeveel brandstof er
aan boord is. Als het vliegplan is goedgekeurd, gaat de
gezagvoerder naar de cockpit.

Klaar om op te stijgen

De gezagvoerder zit in de cockpit. Hij wacht op het teken van de verkeersleider in de toren. Die zegt wanneer het vliegtuig mag vertrekken. De verkeersleider weet precies waar alle vliegtuigen zijn. Hij zegt welke startbaan de piloot mag gebruiken. Vliegtuigen mogen natuurlijk nooit met zijn tweeën tegelijk van één baan opstijgen. En al helemaal niet van de baan waar er net eentje gaat landen!

Taxi!

De piloot stuurt het vliegtuig de startbaan op. Dat heet taxiën. Hij rijdt over een dikke gele streep. Die staat in het midden van de baan. Als hij dat niet doet, kunnen zijn grote vleugels iets raken. Eenmaal op de startbaan, wacht hij weer op een seintje uit de toren. Dan mag hij opstijgen. Dat is altijd spannend! Het vliegtuig raast enorm hard over de baan. Als het snel genoeg gaat, trekt de piloot de stuurkolom naar zich toe. Zo heet het stuur van het vliegtuig. Dan stijgt het vliegtuig op.

Hoe werkt dat?

Hoe kan het dat een vliegtuig opstijgt? Dat heeft te maken met de luchtstroom. De manier waarop de lucht langs het vliegtuig stroomt.

Opstijgen
De piloot trekt de stuurkolom naar achteren. Het hoogteroer in de staart gaat omhoog. Daardoor verandert de luchtstroom en stijgt het vliegtuig op.

Hoogteroeren

Sturen
Als de piloot een bocht wil maken, gebruikt hij het richtingsroer. Dat zit achter op de staart. Hij beweegt ook de rolroeren op de vleugels. Als een vliegtuig een bocht naar rechts maakt, ziet dat er zo uit:

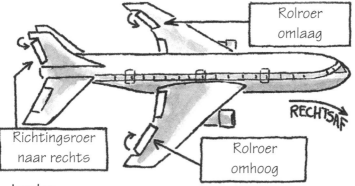

Rolroer omlaag

RECHTSAF

Richtingsroer naar rechts

Rolroer omhoog

Landen
Wil de piloot landen? Dan doet hij het tegenovergestelde als bij het opstijgen. Hij duwt de stuurkolom naar beneden. Het hoogteroer gaat omlaag.

Botsen in de lucht

Het vliegtuig is in de lucht. De luchtverkeersleider in de
hal houdt het goed in de gaten. Hij kijkt op de radar
waar het vliegt. En waar de andere vliegtuigen zijn. Hij
zorgt ervoor dat ze niet botsen in de lucht. En hij kan
waarschuwen bij slecht weer.

ECHT GEBEURD...

Luchtverkeersleiders hebben een belangrijke baan. Maar
ook een gevaarlijke! In 2002 botste een Russisch
passagiersvliegtuig op een vrachtvliegtuig. Alle 69
mensen aan boord kwamen om. Er waren 45 kinderen
bij. Wie de schuldige was, werd meteen uitgezocht.
Maar echt duidelijk werd het nooit. De vader van een van
de kinderen gaf de luchtverkeersleider de schuld. Hij
zocht hem thuis op en vermoordde hem!

Maak je geen zorgen

De luchtverkeersleider hoeft zich meestal geen zorgen te
maken. De piloot vliegt volgens het vliegplan. Hij mag
daar nooit van afwijken. Want dan kan hij een ander
vliegtuig in de weg zitten. Wil hij toch een andere kant
op? Dan vraagt hij eerst toestemming aan de
luchtverkeersleider. Het kan ook andersom. De
verkeersleiding kan hem vragen om meer naar het oosten
te vliegen. Of juist het westen. Iets hoger, of ietsje lager.

...wat zegt u?
Nóg lager?

Wat zegt-ie?

De piloten en de luchtverkeersleider praten tegen elkaar door een radio. Over de radio praat iedereen in de luchtvaart Engels. Ja, het zou wat zijn als iedereen zijn eigen taal sprak. Een Fransman zou niks begrijpen van een Nederlander. En een Duitser verstaat echt geen Chinees. Daarom is de afspraak gemaakt om Engels te spreken. Want dat spreken veel mensen in de wereld.

Landen

De piloot komt bij het vliegveld. In het Engels laat hij dat aan de luchtverkeersleiding weten. Die vertelt hem hoe hij moet vliegen. En op welke baan hij mag landen. Maar soms is het pikkedonker. Of het sneeuwt heel hard. Misschien stormt het wel. Dat maakt het extra moeilijk voor de piloot. Want landen is misschien een kunstje, maar zeker niet altijd een koud kunstje. Gelukkig zijn piloten echte vakmensen. Ze doen altijd hun best zo netjes mogelijk te landen. De wielen raken bijna de grond... Het toestel raast vlak over de landingsbaan. Alle passagiers houden hun adem in. Maar dan… het toestel is geland en staat stil. Applaus klinkt door het vliegtuig!

DIT RAAD JE NOOIT.

Over moeilijke landingen gesproken. In 1934 werd er een luchtrace gehouden. Die ging van Londen naar Melbourne. Het KLM-toestel de Uiver deed ook mee. Alle andere deelnemers startten met supersnelle vliegtuigjes. Maar de Uiver nam ook nog eens passagiers en post mee! Tja, als je toch die kant op gaat... Je zult het niet geloven, maar de Uiver won! Piloot Koene Parmentier vloog in 71 uur naar Melbourne. Vlekkeloos verliep de race niet. Boven Australië kwam de Uiver in noodweer terecht. Parmentier moest een noodlanding maken op de renbaan van Albury. Maar het stormde en het was zó donker buiten, hoe zag hij dan waar de renbaan was?

a. Koene Parmentier schoot een vuurpijl af.
b. Alle automobilisten van de stad reden naar de renbaan en deden hun koplampen aan.
c. De stalmeester stak de tribune in brand.
d. Een bliksemschicht verlichtte de hemel.

Die vuurpijl was misschien niet zo'n goed idee...!

KRETSJ

Antwoord: b. Een Australisch radiostation hoorde dat de Uiver in nood was. Ze riepen iedereen op om met zijn auto langs de renbaan te gaan staan, met de koplampen aan. Zo zag de piloot van de Uiver waar hij moest landen.

Vliegtuigen kijken

Kom eens kijken

Verkeersvliegtuigen zien er eigenlijk allemaal hetzelfde uit. Da's jammer. Zou het niet leuker zijn als ze allemaal anders waren? Nou, er is wel een verschil. De kleuren zijn vaak anders. Dat verschilt per maatschappij. De KLM heeft de kleuren lichtblauw en wit. Vliegtuigen uit Zwitserland zijn rood met wit. Die uit Italië groen, wit en rood. Ga maar eens een dag naar een vliegveld. Dan zie je heel wat landen voorbijkomen.

Wat was dat?

Het vliegveld is een verzamelplaats voor vliegtuigen. De hele dag landen ze er, en stijgen ze op. Je ziet mensen instappen. Soms kun je ze in het vliegtuig zien zitten. Zwaai maar! Net zo lang tot het vliegtuig over de startbaan raast en opstijgt. Je kunt het toestel helemaal volgen. Tot het als een stipje aan de horizon verdwijnt. Stop dan maar met zwaaien. Ze zien je toch niet meer. Geeft niet. Er zijn nog genoeg andere vliegtuigen om naar te kijken. Het gaat de hele dag door. Er zijn zelfs mensen die opschrijven welke vliegtuigen er allemaal voorbijkomen. Vliegtuigspotters, noem je die.

Vliegtuigspotten

'Spotten' betekent 'bekijken'. Vliegtuigspotters bekijken dus vliegtuigen. Vaak hebben ze een vaste plek bij een vliegveld. Dat is een plek waar veel vliegtuigen langskomen. Maar je moet ze ook goed kunnen zien. Veel spotters maken foto's van de vliegtuigen. En de échte vliegtuigspotters schrijven zelfs de nummers op. Deze nummers staan vaak op de romp. Vlak bij de staart. Elk vliegtuig heeft zijn eigen nummer.

Dit heb je nodig:
een verrekijker
een schrijfblokje of schrift
een pen
broodjes voor tussen de middag
een fototoestel
een stoel

En nu aan de slag: Ga naar een vliegveld. Zoek een plek uit met zicht op de startbaan. Sommige vlieg-velden hebben speciale spottersplaatsen. Je herkent ze aan al die andere mensen met verrekijkers en schriftjes. Wurm je ertussen. Klap je stoel uit en ga zitten. Zo, da's jouw plek. En nu maar spotten!
Je hoeft natuurlijk niet per se bij al die andere spotters te gaan staan. Er zijn wel meer vliegtuig-spotters die ergens alleen gaan zitten. Die vinden zo'n spottersplaats maar een kermis. Ophoepelen, allemaal! Ik wil vliegtuigen kijken, geen mensen!

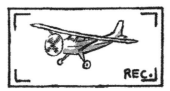

In een sportvliegtuig
vliegen mensen voor hun
hobby.

Het vrachtvliegtuig
vervoert vracht.

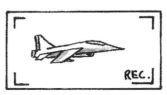

Het verkeersvliegtuig
vervoert post en
passagiers.

Het militaire vliegtuig is
om te vechten.

Er staat een
vliegtuigspotter voor je
neus!

Wat een stunt!

Veel spotters staan liever alleen. Als ze tussen de mensen
willen staan, gaan ze wel naar een vliegshow! Daar zijn
oude en nieuwe vliegtuigen. Omgebouwde vliegtuigen,
of toestellen in alle kleuren van de regenboog. Dat zie je
allemaal op een vliegshow. Piloten vertonen er hun
mooiste kunsten. Ze halen allerlei stunts uit. Ze tollen
rond in de lucht of ze laten zich vallen. En als ze dan
bijna de grond raken... schieten ze weer omhoog. De
piloten van die vliegtuigen zijn stuntvliegers.

Rode pijlen

Heel beroemde stuntvliegers zijn die van het Britse
stuntteam 'The Red Arrows'. Dat betekent 'Rode Pijlen'.
Zo zien ze er ook wel een beetje uit. De piloten zijn echte
luchtacrobaten. Met hun roodgeschilderde vliegtuigen
halen ze de mooiste stunts uit. Met negen vliegtuigen
maken ze allerlei figuren. Een diamant en een zwaan,
een pijl of een adelaar. Soms spugen ze blauw-wit-rode
rook uit. Zo wordt het extra mooi.

Een hand met vijf vingers

Een groep vliegtuigen als de Red Arrows vliegt in formatie. In een formatie heeft ieder vliegtuig zijn eigen plek. Formatievliegen werd vroeger al in de oorlog gedaan. Een groep vliegtuigen vloog dan in formatie naar het doel. Zo konden ze elkaar beschermen. Bij stuntvliegen is het belangrijkste dat iedere piloot weet waar de ander is.

Hand met vijf vingers

Mee in de helikopter

Op een vliegshow komen ook altijd oude toestellen langs. Je ziet er oude jagers en bommenwerpers uit de Tweede Wereldoorlog. Daarvoor kun je natuurlijk ook naar het museum gaan. Alleen staan ze daar de hele dag stil. En hier vliegen ze echt rond!
Op een vliegshow kun je de vliegtuigen van dichtbij bekijken. Er zijn films over luchtvaart. Je kunt zien hoe een vliegtuig werkt. Soms zijn er helikopters die laten zien hoe ze iemand redden. Wie weet, mag je zelf een keer meevliegen in een helikopter! Zo'n vliegshow vergeet je nooit van je leven!

Superspotters

Sommige spotters zijn heel fanatiek. Ze reizen de wereld over. Overal spotten ze vliegtuigen. Ze zitten bij clubs en laten elkaar foto's zien van alle vliegtuigen die ze gespot hebben. Soms zitten daar vliegtuigen tussen die je bijna nergens ziet. Dat is dus best bijzonder.

RAAR maar waar

In Griekenland houden ze niet zo van vliegtuigspotten. In 2002 werden er twee Nederlandse spotters door de politie opgepakt. Ze schreven gegevens van militaire vliegtuigen op. De Griekse politie zei dat ze aan het spioneren waren. Ze moesten de cel in. Na 37 dagen kwamen ze pas vrij. En dan hadden ze nog mazzel. Ze waren bijna voor drie jaar achter de tralies beland. Gevaarlijke hobby, dat spotten.

Geheime dingen

Soms doen militaire vliegtuigen ook wel heel geheime dingen. Misschien waren ze op een geheime missie. Of waren het geheime vliegtuigen. Wie weet, gingen ze wel zelf spioneren! Of nog erger, oorlog voeren!

Ridders van het luchtruim

Net haviken

Vliegtuigen worden niet alleen gebruikt om mensen en vracht te vervoeren. Sommige vliegtuigen zijn speciaal gebouwd om oorlog te voeren. Dat zijn jachtvliegtuigen. Ze vliegen boven vijandelijk gebied en werpen bommen af. Of ze gaan op verkenning. Dan maken ze foto's van de basis van de vijand. Het zijn net haviken. Ze schieten pijlsnel door de lucht, op jacht naar hun prooi. Het ene moment zie je ze, het volgende moment zijn ze weer weg.

Haviken en vliegtuigen, ik vind het maar niks!

Rotbeest!

Nu zijn jachtvliegtuigen razendsnelle straaljagers. Ze hebben moderne wapens en camera's aan boord. En ze vliegen wel 3.000 kilometer per uur! De eerste jachtvliegtuigen niet, hoor. Die snorden een beetje rond boven je hoofd. Als een stel vervelende vliegen. En als je pech had, schoot de piloot zijn revolver op je leeg.

67

Vliegende spionnen

In 1914 brak de Eerste Wereldoorlog uit. Bijna heel
Europa stond in brand. Mannen vochten tegen elkaar
met geweren en revolvers. Kanonnen bulderden. Door
heel Frankrijk en België werden diepe geulen gegraven.
Daarin verborgen de soldaten zich voor elkaar. Maar hoe
weet je dan waar de vijand zit? Kijk, daarvoor waren
vliegtuigen heel handig.

Veel waren er toen nog niet. Maar de toestellen die er
waren, verkenden het gebied van de vijand. Ze
spioneerden. Ze hielden de vijand mooi in de gaten.

Ridders van het luchtruim

Al snel gingen er allerlei verhalen rond. Heldenverhalen,
over piloten die vanuit de lucht op de vijand schoten. Of
ze gooiden met de hand bommetjes naar beneden. Hé!
Dat bracht de generaals op een idee. Snel lieten ze meer
vliegtuigen bouwen. Ze gaven alle piloten een geweer
mee. Al snel vlogen ze als roofvogels door de lucht.
Kleine vliegtuigen, gebouwd voor één man. Als twee
piloten elkaar tegenkwamen, vochten ze tegen elkaar.
Net als ridders. Daarom werden ze ook wel 'ridders van
het luchtruim' genoemd.

RAAR maar waar

De Rode Baron

De beroemdste ridder van het luchtruim is misschien wel de Rode Baron. Zijn echte naam is Manfred von Richthofen. Hij schilderde zijn vliegtuig helemaal rood. Al snel werd hij de Rode Baron genoemd. De Rode Baron richtte een eigen brigade op. Met allemaal gekleurde vliegtuigen. Daarin zaten de beste piloten van Duitsland.

Hé! De grijze baron!

De Rode Baron werd gevreesd door de vijand. Hij versloeg iedereen in de lucht. Al snel werd er een beloning uitgeloofd. Wie kon zijn vliegtuig neerhalen? De Rode Baron behaalde wel tachtig overwinningen in de lucht. Na de tachtigste was zijn geluk op. Hij werd in 1918 dodelijk getroffen door een kogel. Kwam die van de grond? Uit een ander vliegtuig? Niemand weet het. Het blijft een mysterie. Dus niemand kreeg de beloning.

Wie ben jij?

De Rode Baron herkende je zo met zijn rode vliegtuig.
Maar ook alle andere vliegtuigen hadden kleuren. Anders
wist je niet wie de vijand was. Om het nog makkelijker te
maken, had ieder land een eigen teken. De Duitse
vliegtuigen hadden bijvoorbeeld een kruis. En de Engelse
een soort gekleurde schietschijf.

Lekker makkelijk!

PANG!

Machtig in de lucht

Veel landen richtten een speciale luchtmacht op. Dat was
een onderdeel van het leger. Net als de landmacht op de
grond en de marine op zee. In Engeland werd de Royal
Air Force opgericht. In Nederland kreeg je de Koninklijke
Luchtmacht. In Duitsland was er de Luftwaffe.

Twee vliegtuigen

In de Tweede Wereldoorlog waren twee soorten vliegtuigen heel belangrijk. De jager, die licht en snel was.
Maar ook de bommenwerper. Die was juist heel zwaar,
en een beetje sloom. Dat was niet zo gek. Hij moest hele
zware bommen vervoeren.

De **jachtvliegtuigen**, of 'jagers' waren erg veranderd sinds de Eerste Wereldoorlog. Het waren geen twee- of driedekkers meer. Ze hadden één stel vleugels. Ze waren ook steviger. De meeste waren van metaal gebouwd en niet meer bekleed met doek. De wielen konden worden ingetrokken. Dat was ook nieuw.

Bommenwerpers konden fabrieken, bruggen en dammen bombarderen. Maar ze vernielden ook grote steden als Londen en Rotterdam. In het begin van de oorlog vlogen vooral Duitse bommenwerpers over Europa. Maar later zag je ook Engelse en Amerikaanse bommenwerpers. Die vlogen naar Duitsland om daar de boel plat te gooien. Een beroemde Engelse bommenwerper was de Avro Lancaster.

's Nachts op pad

Lancasters gingen vaak 's nachts de lucht in. Ze wilden fabrieken en dammen bombarderen. Maar zo makkelijk ging dat niet. Ze moesten de zoeklichten ontwijken en de kogels die de vijand op ze afschoot. En dan was er de radar van de vijand. Die zag ze al van ver aankomen.

Zilverpapier

Daar hadden ze wat op gevonden. Ze strooiden strookjes zilverpapier uit het vliegtuig. De wolken zilverpapier verstoorden de radarstralen. Zo wist de vijand niet meer wat nou een vliegtuig was en wat niet.

We komen met z'n allen!

Het maakte niet uit waar je zat in een bommenwerper. Nergens was je je leven zeker. Alle kanten van het vliegtuig werden beschoten door jagers van de vijand. Daarom gingen bommenwerpers vaak niet alleen op pad. Ze namen hun eigen jagers mee. Dan werden ze beschermd.

72

ECHT GEBEURD...

Op 15 september 1940 werd Londen aangevallen door Duitse bommenwerpers. De Engelse piloot Ray Holmes steeg op van zijn vliegbasis. Met zijn jager ging hij de Duitsers te lijf. Hij vocht met andere jagers en bommen-werpers. Tot hij iets geks zag. Een Duitse bommenwerper vloog weg bij zijn groep. Hij ging richting Buckingham Palace. Dat is het paleis van de Britse koningin! Ray vloog er achteraan. Straks zou de bommenwerper het hele paleis plat bombarderen! Er was alleen één probleem. Ray had geen kogels meer. Toch moest hij iets doen.

Ray besloot het vliegtuig te rammen. Ook al kostte het hem zijn leven. Hij vloog met zijn vleugel tegen de staart van de bommenwerper. Bang! Staart eraf. De bommenwerper kon niet meer sturen. Hij dwarrelde naar beneden. Het toestel van Ray was natuurlijk ook kapot. Hij sprong eruit. Aan zijn parachute liet hij zich naar beneden zakken. De twee vliegtuigen stortten neer bij het station. Ver weg van het paleis. Ray had het paleis gered. Zelf vond hij dat niet zo bijzonder. Hij baalde alleen dat hij zijn vlieglaarzen had verloren. Hij hield een taxi aan. Daarmee reed hij terug naar zijn basis.

Het einde van de oorlog

De Tweede Wereldoorlog duurde van 1939 tot en met 1945. In die oorlog werden wel 675.000 vliegtuigen ingezet. Er werden parachutisten mee gedropt. Dammen, fabrieken en steden werden ermee gebombardeerd. De Nederlandse koningin werd met een vliegtuig in veiligheid gebracht. De slag om Engeland werd door vliegtuigen beslist. En uiteindelijk besliste het vliegtuig ook de oorlog. Uit een vliegtuig werden twee atoombommen op Japan gegooid.

Ouwe dingen!

Die oude vliegtuigen... Niemand heeft ze nog nodig. Ook al waren ze vroeger zo waardevol. Ze staan in het museum. Er zijn nu veel betere vliegtuigen. Die zijn stukken sneller dan die propellervliegtuigen. Dat komt doordat er een andere motor in zit. Een straalmotor. Een jager met een straalmotor noem je een straaljager.

Jager+straalmotor=een domoor

Hoe werkt dat?

Een straalmotor zuigt aan de voorkant heel veel lucht naar binnen. Die lucht wil er natuurlijk ook weer uit. Aan de achterkant van de motor zit ook een opening. Daardoor wordt de lucht naar buiten geperst. Het vliegtuig schiet vooruit. Straalmotoren maken die strepen in de lucht. Dat zijn eigenlijk de uitlaatgassen van een vliegtuig.

Duw nooit een straal-vliegtuig aan!

DOE HET ZELF

Dit heb je nodig:
een ballon
een touwtje van ongeveer 3 meter
plakband
een rietje

En nu aan de slag: Schuif het rietje over het touwtje. Span het touwtje ergens tussen. Blaas de ballon op. Knijp het tuitje dicht. Plak het rietje op de zijkant van de ballon met plakband. Houd het tuitje nog steeds dicht. De lucht drukt nu van binnenuit tegen de ballon en wil eruit. Maar dat kan niet. Laat de ballon nu eens los. De lucht heeft een opening gevonden en ontsnapt. Daar gaat het rietje!

De eerste straaljager

De straalmotor werd in 1937 uitgevonden door Frank Whittle. In 1941 oefende de Duitse luchtmacht al met de eerste straaljager. Dat was de Messerschmitt Me 262. Die vocht in 1944 mee in de oorlog. Echt veel succes had hij niet. De motor ging steeds kapot. Daarom is hij niet vaak gebruikt.

Het was wel de moeite waard om er wat vaker mee te oefenen. Want die nieuwe straaljager ging wel 870 kilometer per uur. De oude propellervliegtuigen gingen maar 600 kilometer per uur. En bommenwerpers zelfs maar 400 km per uur. Denk je eens in... Dan ben je de vijand altijd te snel af.

Sneller dan het geluid

Weet je dat straaljagers tegenwoordig wel 3.000 km per uur kunnen vliegen? Dat is zelfs sneller dan het geluid. Gaat een vliegtuig opeens harder dan het geluid? Dan klinkt er een harde knal in de lucht. Alsof er een bom afgaat. Hij vliegt door de geluidsbarrière. Als je met die snelheid een bocht maakt, wordt de druk op je lichaam heel groot. Daarom dragen piloten een speciaal pak.

Laat nu die druk maar komen!

De straaljagerpiloot

Bij het maken van een scherpe bocht, stroomt het bloed van een straaljagerpiloot van zijn hoofd naar zijn voeten. Daardoor kan hij bewusteloos raken. Dat is niet echt handig als je met 3.000 kilometer per uur door de lucht vliegt.
Daarom draagt een straaljagerpiloot een speciaal vliegpak. Dat heet een G-pak. Het G-pak blaast zichzelf op in een bocht en drukt tegen het onderlichaam. Zo houdt het het bloed tegen.

Hoger en hoger

Een straaljager gaat niet alleen heel snel. Hij kan ook erg hoog vliegen. Wel 15 kilometer. Daar is hij in een minuut! Er is alleen één probleempje. Op 15 kilometer hoogte kun je niet ademen. Daarom heeft een straaljagerpiloot een zuurstofmasker op.
Een gewoon verkeersvliegtuig heeft een drukcabine. Een soort pomp zorgt ervoor dat er genoeg zuurstof in de cabine terechtkomt. Bij straaljagers is dat niet handig. Die voeren oorlog. Stel dat er een kogel door het glas komt. Dan vliegt alle zuurstof weg.

Met stoel en al

Soms wordt een straaljager geraakt. Ai, hij stort neer.
Gelukkig is er de schietstoel. Met een schietstoel schiet
de piloot zo de cockpit uit, de lucht in. Hij hoeft niet zelf
uit de straaljager te springen. Aan een schietstoel zit een
hendel. Zodra de piloot aan die hendel trekt, vliegt de
kap eraf. De piloot schiet met 400 kilometer per uur de
lucht in. Daarna maakt hij de stoelriemen los. Hij klapt de
parachute uit. Rustig dalen, en dan maar teruglopen naar
de basis.

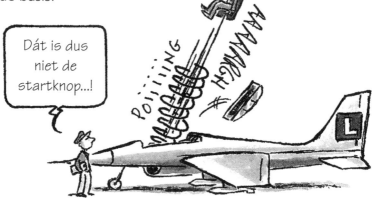

Wat valt daar?

Het is natuurlijk niet de bedoeling dat straaljagers
neerstorten. Daarom worden ze voor ze de lucht in gaan
altijd heel goed nagekeken. Stel je voor dat er iets los zit!
Als je 3.000 km per uur vliegt en er valt iets van je vliegtuig af... Dan zit je niet meer zo lekker in je cockpit!
Eerst wordt gekeken of er wel genoeg kerosine in de
tank zit. Dat is een speciale brandstof voor straalmotoren.
Het is goedkoper dan benzine en het is minder brandbaar. Dan wordt er gekeken of alles werkt. De roeren, de
instrumenten in de cockpit. Alleen de schietstoel testen
ze niet. Dat zou stom zijn!

Opstijgen

De straaljager is helemaal nagekeken. Nu mag hij
opstijgen. Straaljagers vertrekken van een vliegbasis. Die
is van het leger. Je mag er niet zomaar komen. Er staan
hoge hekken omheen. Die worden bewaakt door een
wacht. Je kunt er natuurlijk wel doorheen kijken. Je ziet
dan vast hangars staan. Dat zijn die bolle schuren. Daar
staan de vliegtuigen in. Als je geluk hebt, zie je misschien
wel een straaljager opstijgen of landen. Goed opletten
dus!

RAAR *maar* **waar**

Vogels stoppen niet bij een hek. Ze vliegen overal.
Heel gevaarlijk! Ze kunnen in de motor terechtkomen.
Of ze knallen tegen het glas van de cockpit. Dat kan
het vliegtuig beschadigen. Of de piloot komt in
gevaar. Maar hoe houd je de vogels op afstand?

Dit zal
ze wel
wegjagen!

VERBODEN
VOOR
VOGELS

Daar hebben ze iets op gevonden. Er worden
roofvogels op af gestuurd. Die zijn speciaal getraind
om de vliegbasis te beschermen. Al die vervelende
duiven en kraaien zijn doodsbang voor die roofvogels.
Zo blijven ze wel weg.

Vliegen op zee

Niet alle straaljagers stijgen op van een basis. Sommige stijgen op van een schip. Dat heet een vliegdekschip. Dat heeft een startbaan aan boord. Ze zijn speciaal gebouwd voor verre oorlogen. Voor als je oorlog hebt met een land aan de andere kant van de oceaan. Voor een vliegtuig daar is, is de tank natuurlijk leeg. Daarom nemen ze de vliegtuigen mee de zee op.

Vanaf het dek geschoten

De straaljagers worden vanaf het dek geschoten met een soort grote katapult. Want ze moeten wel snelheid hebben om op te stijgen. Achter de vliegtuigen hangt een haak. Als ze weer landen, grijpt die haak een kabel vast. Zo wordt de straaljager tegengehouden. Anders vliegt hij er aan de andere kant zo weer af.

Wapens

Als straaljagers oorlog gaan voeren, hebben ze allerlei wapens aan boord. Ze hebben een boordkanon om in de lucht met de vijand te vechten. En bommen om af te werpen. Straaljagers hebben ook heel slimme raketten aan boord. Die gaan op warmte af. Zoals de straalmotor van het vliegtuig van de vijand.

Onzichtbare straaljagers

De vijand heeft natuurlijk ook raketten. En niet alleen van die hittezoekende. Er bestaan ook radargeleide raketten. Die worden bestuurd door een radar op de grond. Daarom mogen straaljagers niet opvallen. Ze moeten onzichtbaar zijn voor de radar en voor die slimme raketten.

Gefopt

Dat kan! Je kunt heel laag bij de grond gaan vliegen. De radiogolven van de radar zijn daar niet zo sterk. Vaak worden ze gestoord door het landschap. Door een heuvel of een groep bomen bijvoorbeeld.
Je kunt ook kleine metalen splinters afschieten. Daarmee fop je de radar. Net als die stroken zilverpapier vroeger.
De Amerikanen hebben er een sport van gemaakt. Ze willen ongezien door het vijandelijk gebied vliegen.
Daarvoor bouwt de Amerikaanse luchtmacht onzichtbare straaljagers!

De Blackbird.

Blackbird is de bijnaam van het verkenningsvliegtuig Lockheed SR-71. Het betekent merel, of zwarte vogel. Hij kan tot 24 kilometer hoogte klimmen. Op die hoogte zie je hem niet vanaf de grond. Zelfs de radar kan hem niet zien. Dat komt door speciale verf op de buitenkant. Die zorgt ervoor dat de radiogolven van de radar niet terugkaatsen. Je ziet dus niks op het scherm.

Tijdens de vlucht warmt het vliegtuig op tot wel 300 graden. Daardoor wordt het toestel 28 cm groter. De piloten dragen een astronautenpak. Want als de voorruit zou barsten, zouden ze gaan koken.

AREA 51

Deze vliegtuigen zijn gebouwd op de Amerikaanse basis Area 51. Niet zeggen, hoor! Want de Amerikaanse regering zegt dat deze basis helemaal niet bestaat. Sommige mensen denken dat er in Area 51 vliegende schotels zijn opgeslagen. Die mensen hebben zulke rare vliegende dingen gezien. Ze zien er ook wel erg vreemd uit...

TOP SECRET

Omhoog met de wentelwiek

Zonder vleugels

Aan helikopters is niets geheim. Dat kan ook niet, want je hoort ze al van ver aankomen.

Maar al zijn helikopters niet geheim, ze zijn wel heel bijzonder. Niet alleen omdat ze er mooi uitzien. Of omdat ze mooi klinken. Nee, het bijzondere aan helikopters is dat ze rechtop kunnen opstijgen.

Overal landen en opstijgen

Voor een helikopter heb je geen startbaan nodig. Een helikopter stijgt recht omhoog op. Hij schroeft zich gewoon de lucht in met zijn rotor. Je weet wel, die grote bladen bovenop. Ze worden ook wel wieken genoemd. Net als bij een molen. Een helikopter noemen ze daarom wel eens wentelwiek. De wentelwiek kan overal opstijgen en landen. Maakt niet uit waar.

De vliegende schroef

Leonardo da Vinci, de Italiaanse uitvinder, tekende in de 16e eeuw al een helikopter. Hij noemde het 'de vliegende schroef'. Die moest zichzelf de lucht inschroeven. Leonardo zei: 'Dit schroefinstrument moet goed gebouwd zijn. Uit linnen. En alle gaten moeten dichtgestopt zijn. Als deze schroef hard rondgedraaid wordt, boort hij zich in de lucht en stijgt op.'

Hang eens stil!

Leonardo heeft zijn vliegende schroef nooit uitgeprobeerd. Maar zijn idee bleef wel bestaan. Honderden jaren later zette het de Fransman Paul Cornu aan het denken. Kijk, zo'n schroef is wel leuk. Maar hoe krijg je er een mens mee de lucht in? Paul Cornu verzon de helikopter, en bouwde er een. Hij werd de eerste mens die met een helikopter door de lucht vloog. Dat was op 13 november 1907. Veel stelde het niet voor, want hij kwam maar twee meter van de grond. En dat duurde nog minder dan twintig seconden. Bovendien was zijn helikopter heel erg breekbaar en bleef maar niet stilhangen.

De helikopterman

In de jaren daarna probeerden veel mensen het. Maar de meeste helikopters waren onbestuurbaar, of vlogen maar heel kort. Het grootste probleem was dat ze niet rechtop konden opstijgen. En dat is natuurlijk wel handig. Anders is het geen echte helikopter! De Amerikaan Igor Sikorsky had wel succes. In 1939 steeg hij niet alleen recht op met zijn helikopter, hij vloog er ook mee weg. Igor Sikorsky wordt ook wel 'De Helikopterman' genoemd.

Hoe werkt dat?

De helikopter van Sikorsky kon iets bijzonders. Iets dat alle helikopters van nu ook kunnen. Hij kon stil blijven hangen in de lucht. Iets dat Paul Cornu maar niet lukte. De helikopter van Paul Cornu had namelijk maar één rotor. Die zat bovenop. En doordat die zo hard draaide, draaide de helikopter zelf de andere kant op. Hierdoor bleef hij niet stilhangen.

Misschien wel een leuke uitvinding voor de kermis.

Igor Sikorsky zette daarom nog een rotor op de staart. Als die draaide, duwde die de helikopter weer terug. Zo kon Igor de machine besturen en bleef deze stilhangen.

Stilstaan in de lucht

Als je stilhangt, kun je alles veel beter bekijken. Boven de stad, of boven zee. Daarom zijn helikopters zo handig. En daarom worden ze vaak gebruikt. Door de marine bijvoorbeeld. Die redt er zeelui mee van een schip in nood. En ze gebruiken ze om boeven op zee op te sporen. Voor de politie komt een helikopter ook erg van pas. Vanuit de lucht zie je veel meer dan op de grond. Je kunt alle straten in één keer uitpluizen en dan doorvertellen waar iemand verscholen zit. Er worden zelfs bosbranden geblust met helikopters. Dan hangen ze er een grote zak water onder, en gooien die leeg boven het vuur.

 **RAAR** *maar* **waar**

Soms hoor je van die rare verhalen... Amerikaanse brandweerlieden vonden eens een dode man in het bos. Vlak na een grote bosbrand. Het vreemde was: het was een duiker! Terwijl het eerste water 30 kilometer verderop lag! Hoe was de duiker daar terechtgekomen? Onderzoekers ontdekten hoe het gebeurd was. De blushelikopter had water uit een meer gezogen. En daarbij had deze de duiker opgeslokt, en boven de brand gedropt. Stom zeg! Maar vooral een vreemd verhaal.

Het is dan ook niet waar. Het is een verzinsel. De Amerikaanse brandweer houdt vol dat dit nooit gebeurd is. Toch duikt het verhaal steeds weer op.

Wat een ramp!

Geen duikers dus. Maar verder kan de helikopter van alles meenemen. Zieken en gewonden bijvoorbeeld, met de traumahelikopter. Dat is een soort vliegende ziekenwagen. Voor als de echte ziekenwagen in de file staat. Of als hij niet op de plek kan komen, omdat het te bergachtig is, of te afgelegen. Dan vliegt de traumahelikopter de dokter in volle vaart naar het ongeluk. De traumahelikopter wordt ook ingezet bij rampen. Zoals aardbevingen, als er een gebouw instort. Dat gebeurt altijd onverwacht. Dus de doktoren weten nooit hoeveel gewonden er zijn, of hoe ernstig het is. Met de traumahelikopter zijn ze snel ter plaatse en kunnen ze aan de slag. De helikopter is een echte redder in nood.

ECHT GEBEURD...

In 1956 was de winter in Nederland zo streng dat helikopters van de luchtmacht naar de afgelegen delen van het land eten brachten. Maar niet alleen dat. De helikopters speelden ook voor veerpont. Want de ponten zaten bijna allemaal vast in het ijs. Ze strooiden zelfs voedsel voor de duizenden vogels die door de sneeuw geen eten konden vinden. Weer of geen weer, de helikopter vliegt altijd.

De helikopter is laat vandaag!

Oorlogstuig

In moeilijke tijden staat de helikopter klaar. Dus ook als er oorlog is, doet hij zijn werk. Dan wordt hij vooral gebruikt voor het verplaatsen van troepen. Of het ophalen van soldaten die in de nesten zitten. Helikopters zijn snel ter plaatse, ze landen en stijgen zo weer op. Maar het leger zou het leger niet zijn, als ze geen gevechtshelikopter zouden hebben gemaakt. Want met een helikopter kun je heel gericht schieten. De leger-helikopter heeft raketten en kanonnen aan boord. Een radar, een nachtkijker en een laser, die het doel aanwijst.

Met handen en voeten

Zo'n helikopter is natuurlijk heel moeilijk te bedienen. Want je moet zo veel dingen tegelijk doen. Het kanon bedienen, de raketten richten, oppassen dat je niet beschoten wordt. En dan ook nog eens vliegen. En dat is eigenlijk al moeilijk genoeg. Want een helikopter bestuur je met handen en voeten. Je moet dus goed kunnen bewegen. Maar eerst moet je een brevet halen. Dan pas mag je vliegen. Piloot, dat word je niet zomaar!

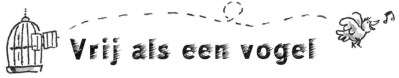

Vrij als een vogel

Ik word ook piloot!

Wil jij later ook piloot worden? Maar wat voor piloot
word je dan? Helikopterpiloot? Ballonvaarder?
Straaljagerpiloot, stuntvlieger, zweefvlieger? Ga je ook
vogels in de winter helpen? Of wil je liever de vijand
bespioneren vanuit de lucht? Wil je later bij de luchtmacht? Of ga je bij een zweefvliegclub?
Maakt niet uit wat je gaat doen. Je moet helemaal
onderaan beginnen. Ja, op de grond. Je moet eerst van
alles leren over de luchtvaart. Maar gelukkig heb jij alvast
dit boek gelezen. Jij weet dat je niet zomaar uit een
boom moet springen. Toch?

Doe de pilotentest!

Wat doet een ballonvaarder om te dalen?
a. de ballon lekprikken.
b. de brander lager zetten.
c. uit de mand springen.

Wat is een automatische piloot?
a. iemand die als piloot geboren is.
b. een mechanisme dat een vliegtuig kan besturen zonder hulp van een mens.
c. een vliegende robot.

Wat is de zwarte doos?
a. een doos die je in het donker niet kunt zien.
b. een elektronisch kastje in een vliegtuig dat onthoudt hoe het vliegtuig vliegt.
c. een verkoold kistje.

Hoe lang is de startbaan van een helikopter?
a. 80 meter
b. 0 meter
c. 140 meter

Heb je alle vragen met b beantwoord? Dan heb je er al best veel verstand van! Maar piloot ben je nog niet.

Pilotenschool

Om piloot te worden moet je naar de pilotenschool. Daar kun je een brevet halen. Dat is net zoiets als een rijbewijs. Maar dan voor in de lucht. Elk brevet is weer anders. Je hebt er een om een helikopter te besturen. Maar een vliegtuig, dat is weer heel andere koek.

Goed je best doen op school

Als je later echt in een vliegtuig wilt vliegen, moet je goed je best doen op school. Om in een verkeers- vliegtuig te leren vliegen, moet je eerst een hoog diploma halen. Dan pas mag je naar de pilotenschool. En zelfs dan word je eerst nog getest. Er wordt gekeken hoe sterk je in je schoenen staat. Of je een beetje technisch bent, of je gezond bent. En er wordt gekeken of je aanleg hebt om te vliegen. Dat gebeurt in een vlucht- simulator. Een nagebouwde cockpit met beeldschermen in plaats van ramen. Met een computer wordt dan getest of je een goede piloot zou kunnen zijn.

Oeps!
Even vergeten
dat we niet meer
in de simulator
zitten...!

Luchtmacht

Of wil je liever straaljagerpiloot worden? Ja, dan moet je eerst in het leger. Daar leer je dingen als schieten en overleven. Want als je vliegtuig neerstort, moet je jezelf ook op de grond kunnen redden. Zeker in vijandelijk gebied. Na de training kijken ze wat het beste bij je past. Misschien past de helikopter wel veel beter bij je. Of een transportvliegtuig. En voor dat toestel krijg je dan een vliegopleiding. Als je bij de luchtmacht wilt, moet je wel een goede conditie hebben. Veel sporten dus!

Vrij als een vogel!

Of vind je dat allemaal te veel moeite? Wil je gewoon alleen maar vliegen? Nou, dan kun je altijd nog gaan zweefvliegen. Of ballonvaarder worden.

Daarvoor hoef je alleen maar een examen te doen. Je moet dan dingen weten over het weer, over het toestel en over hoe je de weg vindt. O ja, en je moet natuurlijk weten hoe je met zo'n ding moet vliegen!

En dan zul jij ook door de lucht zweven. Zo vrij als een vogel! Want dat ben je in de lucht. Of je nou in een ballon vaart of in een straaljager zit. En als je daar dan zit, heb jij bereikt wat al die mensen vroeger zo graag wilden.

Vliegen... hoog in de lucht!

Register